D1274457

Groupe d'édition la courte échelle inc.
Division la courte échelle
4388, rue Saint-Denis, bureau 315
Montréal (Québec) H2J 2L1
www.courteechelle.com

Correction: Aimée Lévesque
Infographie: Catherine Charbonneau

Dépôt légal, 2018
Bibliothèque nationale du Québec

Le Groupe d'édition la courte échelle reconnaît l'aide financière du gouvernement du Canada pour ses activités d'édition. Le Groupe d'édition la courte échelle est aussi inscrit au programme de subvention globale du Conseil des arts du Canada et reçoit l'appui du gouvernement du Québec par l'intermédiaire de la SODEC.

Le Groupe d'édition la courte échelle bénéficie également du Programme de crédit d'impôt pour l'édition de livres — Gestion SODEC — du gouvernement du Québec.

Catalogage avant publication de Bibliothèque et Archives nationales du Québec et Bibliothèque et Archives Canada

Gravel, Elise

Tu peux

Pour enfants de 3 ans et plus.

ISBN 978-2-89774-148-8

I. Titre.

PS8563.R3876T8 2018 jC843'.6 C2017-942182-4
PS9563.R3876T8 2018

Imprimé en Chine

ELISE GRAVEL

TU PEUX

la courte échelle

HÉ, PSST ! TOI, L'ENFANT !
IL Y A TOUTES SORTES DE
FAÇONS D'ÊTRE TOI-MÊME.
QUI QUE TU SOIS, TU PEUX...

ÊTRE SENSIBLE

ÊTRE
DRÔLE
BLOUB!

AIMER

Cuisiner

FAIRE DU
BRUIT

ÊTRE UN
Artiste

TE

SALIR

ÊTRE UNE PRINCESSE

... OU UN

CHEVALIER

AVOIR
PEUR

PUER
(DES FOIS)
OUPS!
DÉSOLÉE.
PRROUT!

PRENDRE SOiN DES AUTRES

ÊTRE EN COLÈRE

FAIRE LE MÉNAGE

ÊTRE UNE Aventurière

ÊTRE tranquille

ÊTRE

BIZARRE

ÊTRE BON À l'école

ÊTRE FORTE

TU PEUX ÊTRE TOUT CE QUE
TU AS ENVIE D'ÊTRE.

SAUF MÉCHANT(E) OU MALPOLI(E),
HEIN, QUAND MÊME.

QUE TU SOIS UNE FILLE OU UN GARÇON, TU PEUX ÊTRE

TOI-MÊME.

VOILI-VOILÀ, C'EST TOUT.